D1358432

ONLY A TOAD

Told By:
Cher Thao

Adapted By:
Brian and Heather Marchant

Illustrated By:
Ya Lee

Only A Toad

Text Copyright © 1993 by Brian Marchant. Illustrations Copyright © 1995 by Brian Marchant. All rights reserved. No part of this book may be used or reproduced in any manner whatsoever without written permission except in the case of brief quotations embodied in critical articles and reviews. Published by Project Chong. For information address Project Chong, P.O. Box 9551, Green Bay, Wisconsin 54308. Printed in the U.S.A. First Edition

Dedicated To:

Bethany and Jonathan

There once was a toad who lived alone in a small hole in the ground. He was sad because he was only a toad. He thought that he was small and ugly and weak.

"I will surely die if I stay in this hole much longer!" he sighed. "But what can I do? I am only a toad."

Thaum ub muaj ib tug qav kaws nyob ib leeg hauv ib lub qhov av. Nws tu tu siab vim hais tias nws yog ib tug qav kaws xwb. Nws xav hais tias nws me me, qias qias neeg thiab tsis muaj peev xwm li.

"Yog hais tias kuv nyob hauv lub qhov av no ntev mus ntshe kuv yuav tuag!" tus qav kaws hais li ntawd. "Tab sis kuv yuav ua tau dab tsi? Kuv tsuas yog ib tug qav kaws xwb."

The next day he set off down the road in hope of becoming a more powerful creature. He wished that he could travel faster, but he was only a toad and all he could do was hop. It was going to be a long trip.

Hnub tom qab ntawd nws txiav txim siab mus rau nram kev, vam hais tias seb nws puas yuav txawm tau los ua ib yug tsiaj muaj peev xwm heev. Nws xav kom nws mus tau kev nrawm nrawm, tab sis nws tsuas yog ib tug qav kaws xwb, yam nws ua tau ces tsuas yog dhia xwb. Nws txoj kev mas yuav deb heev.

As he sat on a log and rested, a farmer came out to feed his pig. The toad thought, “Hmm.... A pig must be very powerful because he makes the farmer bring him food every day.”

Thaum nws zaum so saum ib yav cav, nws pom ib tug tswv teb tawm tuaj pub nws tus npua. Tus qav kaws txawm xav hais tias, “Aub.... Ua ib tug npua no ntshe yuav muaj peev xwm heev vim nws ua tau rau ib tug tswv teb nqa zaub mov tuaj rau nws noj txhua txhua hnub.”

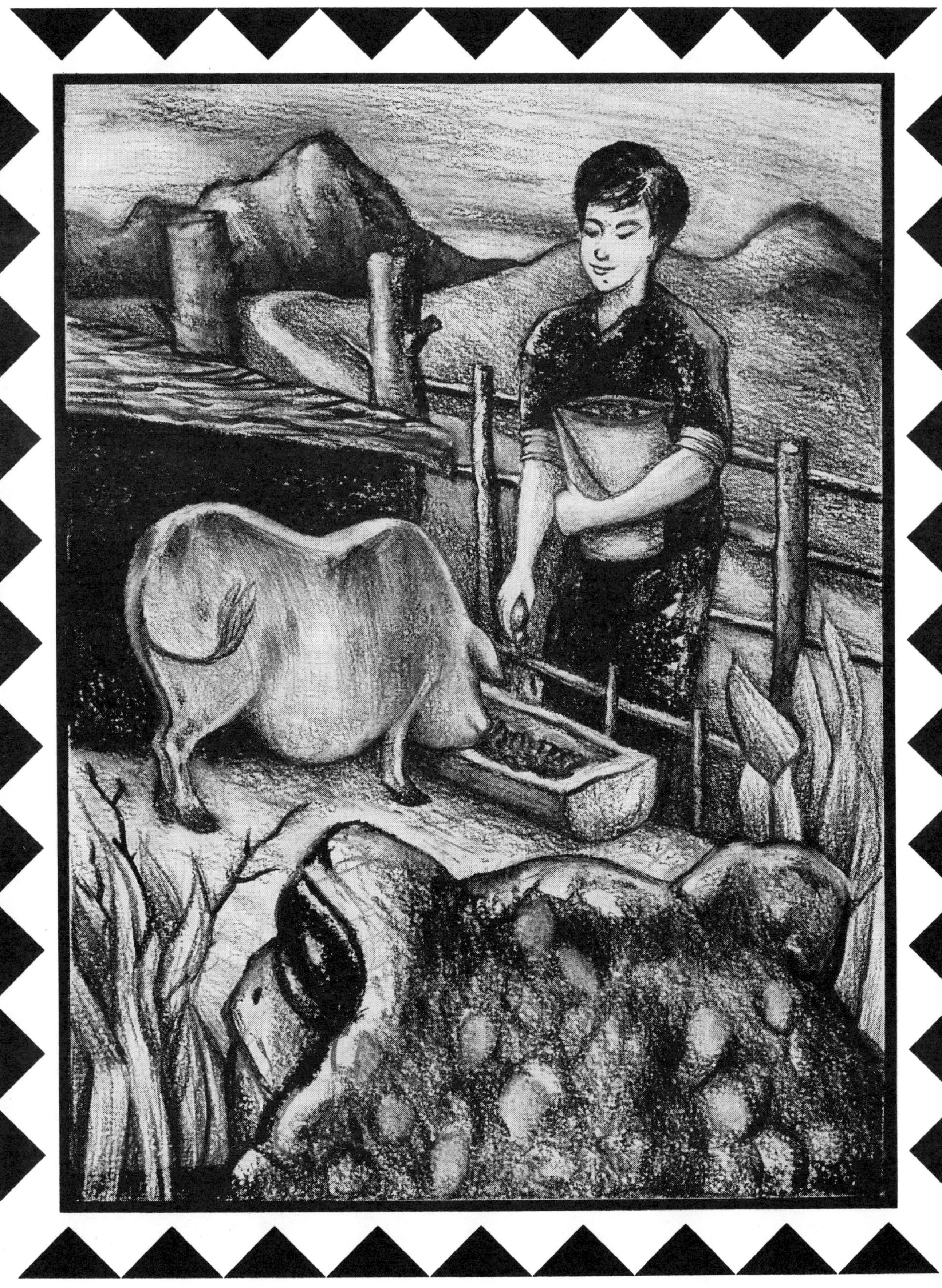

"I WANT TO BE A PIG!"

"KUV XAV KOM KUV YOG IB TUG NPUA!"

Suddenly, he heard a growl and turned around just in time to see a ferocious dog racing toward the pig pen. The dog chased the pig away and began to eat its food.

The toad thought, "Hmm.... The dog must be even more powerful than the pig because he scared the pig away."

Tam sim ntawd na has nws hnov ib lub suab nyooj, thiab nws tseem tig lees saib na has nws pom ib tug aub khiav ceev los rau ntawm lub dab npuas. Tus aub caum tus npua khiav lawm ces tus aub txawm muab tus npua cov qhauv noj.

Tus qav kaws xav hais tias, "Aub.... Ntshe tus aub ntawd tseem yuav muaj peev xwm tshaj tus npua lawm thiab vim hais tias nws caum tau tus npua khiav lawm."

"I WANT TO BE A DOG!"

"KUV XAV KOM KUV YOG IB TUG AUB!"

Soon the farmer returned and saw the dog eating the pig's food. He was very angry so he picked up a stick and chased the dog away.

The toad thought, "Hmm.... The farmer must be even more powerful than the dog because it ran away with its tail between its legs."

Tib pliag ntawd tus tswv teb rov qab tuaj pom tus aub muab nws tus npua cov qhauv noj. Nws chim heev ces nws txawm tsawv nkaus tau ib tug pas thiab caum tus aub ntawd khiav lawm.

Tus qav kaws xav hais tias, "Aub.... Ntshe tus tswv teb no tseem yuav muaj peev xwm tshaj tus aub ntawd lawm thiab vim hais tias tus aub ntawd khiav pos tw nthoob lawm."

"I WANT TO BE A FARMER!"

"KUV XAV KOM KUV YOG IB TUG TSWV TEB!"

A little while later, the mayor of the village came out to visit the farmer. He said, "Today you can not work on your own farm. You must help us clear a path for a new road."

"Yes, sir!" said the farmer. "I will do whatever you say!"

The toad thought, "Hmm.... The mayor must be the most powerful man in the world because everyone must do what he says."

Tib pliag ntawd, tus tswv zos txawm tuaj mus xyuas tus tswv teb. Nws hais tias, "Hnub no koj yuav ua tsis tau koj cov hauj lwm hauv koj daim teb. Koj yuav tsum pab peb tho kev."

"Tau kawg txiv hlob!" tus tswv teb hais li ntawd. "Kuv mam ua raws li koj hais!"

Tus qav kaws xav hais tias, "Aub.... Ntshe tus tswv zos tseem yuav yog tus muaj peev xwm tshaj plaws nyob rau hauv lub ntiaj teb no vim yog txhia tus yuav tsum ua li nws hais."

"I WANT TO BE A MAYOR!"

"KUV XAV KOM KUV YOG IB TUG TSWV ZOS!"

As the people were clearing a path for the new road, they suddenly began to scream and run in all directions. They had hit a beehive and the bees were angry. Even the mayor got stung and ran away.

The toad thought, "Hmm.... A little bee is more powerful than the most powerful man in the world."

Thaum cov neeg tab tom tho kev, lawv cia li qw thiab khiav rau txhua txhia qhov chaw. Lawv mus phoom ib xub nkawj ces cov nkawj ntawd txawm chim heev. Tus tswv zos los raug plev tib si ces nws txawm khiav rau nram kev lawm.

Tus qav kaws xav hais tias, "Aub.... Tus nyuag nkawj no me tas npaum li es twb muaj peev xwm tshaj ib tug tswv zos uas yog ib tug neeg muaj peev xwm tshaj plaws nyob rau hauv lub ntiaj teb no."

"I WANT TO BE A BEE!"

"KUV XAV KOM KUV YOG IB TUG NKAWJ!"

Just then, a bee buzzed right in front of the toad's mouth. He shot out his tongue, licked the bee up, and swallowed it down.

The toad thought, "Hmm.... Maybe I'm more powerful than I realized. I guess I should just be happy to be myself."

Tam sim ntawd, ib tug nkawj ya kiag los ntawm tus qav kaws lub qhov ncauj. Nws hlev nws tus nplaig tawm plaws los nplaum kiag tus nkawj, thiab muab nqos mus rau hauv plab lawm.

Tus qav kaws thiaj xav tau hais tias, "Aub.... Tej zaum kuv muaj peev xwm tshaj qhov kuv xav tau. Kuv xav hais tias ntshe kuv yuav tsum zoo siab rau kuv tus kheej."

"I'M GLAD TO BE A TOAD!"

"KUV ZOO SIAB UAS KUV YOG IB TUG QAV KAWS!"

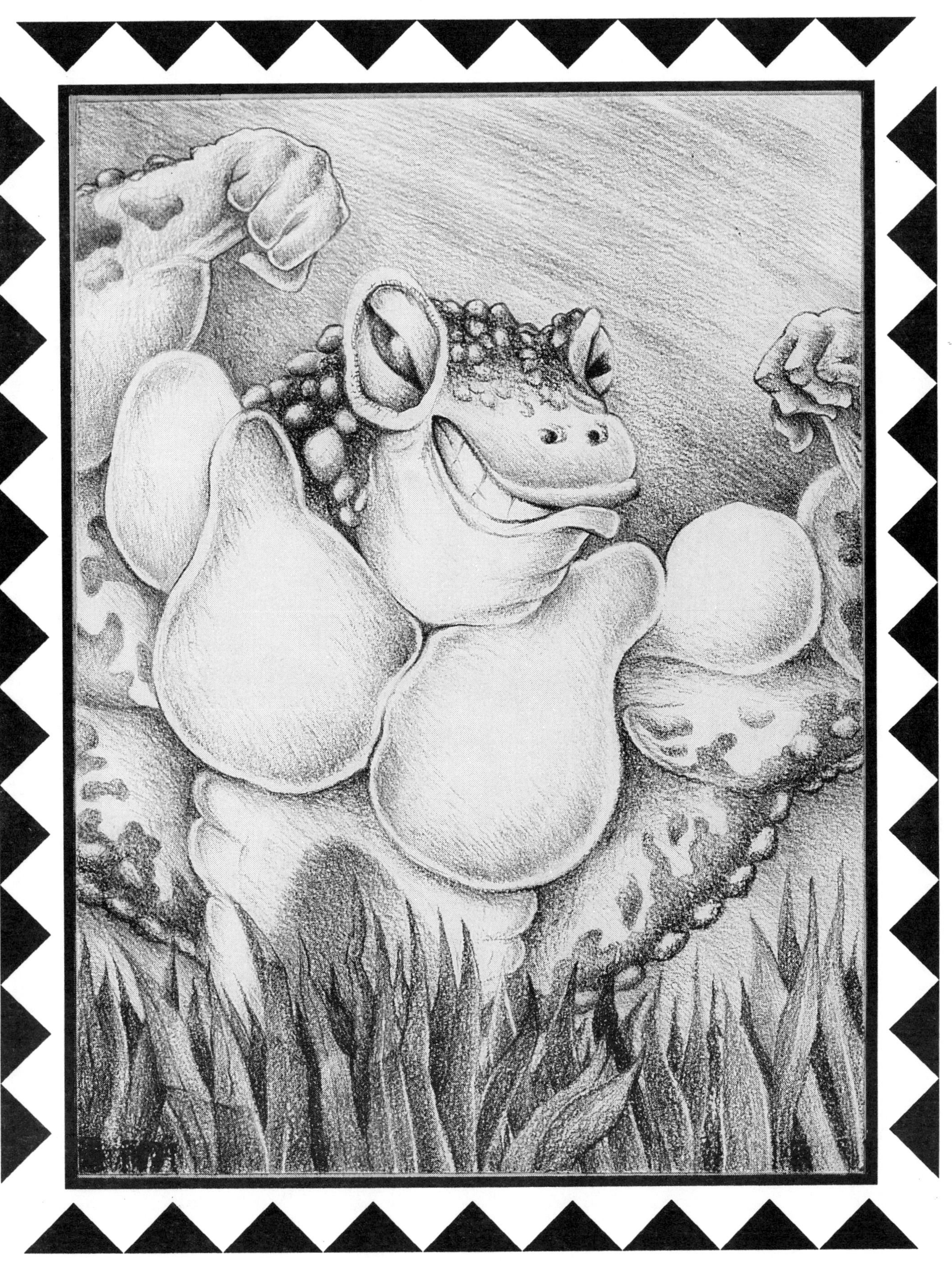

He smiled, jumped down off the log he was resting on, and happily hopped home.

Nws luag nyav, nws dhia tawm ntawm yav cav uas nws so ntawd, thiab zoo siab hlo dhia rov mus tsev lawm.

Special Thanks To:

Cher Thao

Linda Markowski

For their inspiration, dedication, and encouragement.

Direct Inquiries and Comments To:
Project Chong
RE: ONLY A TOAD
P.O. Box 9551
Green Bay, WI 54308-9551

Other titles available:
A Boy Named Chong